El niño del palo de fuego

MONTAÑA
ENCANTADA

Miguel Ángel Rodríguez Bajón

Ilustrado por Suso Cubeiro

El niño del palo de fuego

EVEREST

Coordinación Editorial: Ana María García Alonso
Maquetación: Cristina A. Rejas Manzanera
Diseño de cubierta: Jesús Cruz

© Miguel Ángel Rodríguez Bajón
© EDITORIAL EVEREST, S. A.
Carretera León-La Coruña, km 5 - LEÓN
ISBN: 84-241-7909-9
Depósito legal: LE. 1611-1999
Printed in Spain - Impreso en España

EDITORIAL EVERGRÁFICAS, S. L.
Carretera León-La Coruña, km 5
LEÓN (España)

Dedico el libro a Clara y Álvaro,
y con ellos a todos los niños que aman
la Naturaleza.

También a Luis Miguel Domínguez,
defensor del Planeta; a Orlando Martínez,
"Lati"; a José Luis R. Bueno, "Peio"; y a
Jorge Sánchez Gallo, con quienes sobreviví
en un bote perdidos en el Amazonas
36 horas que no voy a olvidar nunca.

Y, por supuesto, a Sidney Possuelo,
explorador, casi guerrillero, que me contó
las historias que se han juntado para hacer
este cuento.

…Y a los indígenas que no conocemos,
para que nunca les conozcamos: así serán
siempre felices y libres…

Podéis leer este cuento sólo si creéis en la Libertad y en el orden creado por la madre Naturaleza. Los hombres que, con su mejor voluntad, han sido tentados a cambiar las cosas de nuestro Planeta para que toda la humanidad sea partícipe de lo que en Occidente llamamos "nuestras comodidades", quizá tengan la misma sensación de angustia que los protagonistas de esta historia. Lo que aquí se cuenta pasó de verdad: únicamente hemos cambiado los nombres de los personajes.

Éste es un cuento corto, escrito con la inocente intención de que alguien reflexione sobre la Libertad y sobre la Vida. Nuestros mejores deseos no sirven para nada si no se sabe escuchar el sonido de la selva, si no se aprende a apreciar la felicidad en las cosas que no comprendemos y si no se asimila que los hombres menos "civilizados" tienen su propio universo mágico, y que romper ese mundo mítico es un delito, pues es más grande que el nuestro propio.

A lo mejor, la prisa nos hace concebir la vida de otro modo. Hemos aprendido que nuestra sonrisa depende de lo que tenemos, no de lo que nos hace realmente felices. Pero hay otros pueblos que aún no lo saben y que quizá no deberían saberlo nunca: tienen poco, pero eso es todo lo que desean tener.

EL AUTOR

É rase una vez el pueblo de los indios Matís, que vivían felices en mitad del Valle del Javarí, en las riberas ignotas del río Amazonas, allí donde el Sol casi no se ve por la frondosidad de los árboles y donde la Luna es el único modo de medir el tiempo. Hasta hacía sólo cinco años, únicamente los animales y los pájaros y los árboles de la jungla sabían de la existencia de ese pueblo. Pero ahora, la tribu de los Matís estaba obligada a cambiarse de aldea porque el hombre "civilizado" les había dictado su sentencia de muerte. Para huir, caminarían durante tres días desde Pebeú hasta Caranjâo: sesenta kilómetros entre la selva más frondosa del mundo.

Los hombres blancos que se preocupaban por sus vidas –los científicos de la ONU que les habían encontrado cinco años atrás y que en parte habían cuidado de ellos frente a las amenazas de la modernidad–, les convencieron de que en el

nuevo lugar, más allá todavía, donde ni siquiera el viento era el mismo viento que conocía la civilización, no habría otros hombres blancos que les atacaran.

—No más muertes por armas de fuego —les dijeron, convencidos de que estaban obrando bien, que sacándolos de allí les salvarían para siempre de la muerte.

Después de despedirse de los árboles y de acercarse por última vez a los troncos que delimitaban el lugar donde descansaban sus muertos, los indígenas levantaron el poblado e iniciaron el camino. Un niño llevaba el fuego como un estandarte, orgulloso de portarlo, y la tribu le miraba complacida.

Hombres ancianos, mujeres, niños y muy pocos guerreros con arcos componían la fila que serpenteaba entre los árboles de la jungla.

El niño caminaba ensimismado con su palo de fuego. A veces, un golpe de viento jugaba con la llama e incluso llegaba a apagarla. Entonces, como un maestro en el cuidado del fuego, el niño soplaba la brasa roja y humeante hasta conseguir la llama de nuevo.

Cuando el palo se le hacía tan corto que se podía quemar las manos, cambiaba de antorcha, y para hacerlo tomaba de la misma selva una rama seca todo lo grande que fuera. Y sonreía

haciendo pasar la llama de un palo a otro.

La tribu de los Matís le acompañaba en el juego, pues estaban acostumbrados a ver a niños con palos de fuego. No les importaba que fuera retrasando un poco la marcha cuando se distraía al buscar otro palo, o si paraba a soplar la brasa acuclillado y pendiente de la ardua tarea de que el fuego no se apagara nunca. Tenían tres días de camino, bien podían ir haciendo pausas. Estaban esperanzados. Confiaban en el hombre blanco.

Y era verdad: la única tribu india que quedaba en el Valle del Javarí, en lo más recóndito del Amazonas, estaba en peligro porque el hombre blanco necesitaba carreteras que comunicaran a los países entre los países, y a las ciudades entre las ciudades, y a los pueblos entre los pueblos. Y además de autopistas había que llevar luz eléctrica y gas y agua potable y petróleo. Era una necesidad objetiva, pues el mundo moderno no podía tener incomunicada una parte tan grande del planeta.

Los gobiernos dieron permiso a las constructoras para cortar árboles y plantas y llenar la tierra de hormigón y asfalto a cambio de que cuidaran otros entornos naturales en otros lugares de otros países: es el modo que tienen las instituciones de conservar el ecosistema.

Pero para hacer las obras tenían que talar árboles, y así espantaban a los monos araña, que servían de comida a los Matís, y alejaban el canto de los drongos –que eran unos pájaros negros maravillosos con las plumas amarillas en la cola y en las alas–, y hacían huir a los macacos y a las mariposas, y destrozaban los grandes castaños de más de cincuenta metros y talaban las borrachas para sacar caucho.

Por eso los Matís defendían su territorio con las lanzas y las cerbatanas. Pero se encontraron con que el hombre blanco tenía armas más poderosas que ésas tan primitivas, que apenas servían para cazar.

Pocos meses antes, el padre de Totí –el niño indio del palo de fuego– y otros guerreros Matís, habían muerto por los disparos de los lacayos de la constructora de autopistas. Estaban talando árboles para hacer una carretera tan grande que llegara a los confines del Sol y del Viento, y los indios Matís les atacaron para defender su selva. Los hombres blancos les dispararon sin piedad y les persiguieron durante días hasta matar a todos los guerreros que hicieron aquella incursión.

Después de la matanza los científicos tardaron tiempo en hacerse entender, en

explicarles que ellos eran buenos, que nunca les harían daño, que no todos los hombres blancos son iguales.

Los indios confundían estas cosas: si un hombre blanco les atacaba, todos los hombres blancos eran culpables y había que matar a todos, como si los hombres blancos fueran todos una familia, lo mismo que los Matís eran todos una comunidad. No entendían otra razón.

Era la Ley de la Selva: si un puma les atacaba, había que matar a todos, porque todos eran peligrosos y malos.

Pero los científicos les convencieron de lo contrario. Les dijeron:

—Mirad, ¿no veis que la onça parda de Totí —que era un puma que jugaba con el niño desde pequeños, y le defendía— no es lo mismo que las otras onças? —que en lengua matís significa jaguar—. Nosotros somos vuestros amigos y estamos aquí para ayudaros.

El niño del palo de fuego seguía la fila de modo más bien desordenado. Caminaban sesenta y cinco personas, una detrás de otra. En el comienzo de la fila y

también a veces en el medio, los cuatro hombres blancos con escopetas vigilaban que nadie se perdiera o que nadie fuera atacado por un hombre blanco o por una fiera.

A los científicos les costó trabajo y mucho tiempo arrancar a los Matís de Pebeú, su aldea. Pocos años antes, mu-

cho antes de comenzar los ataques de los constructores, uno de ellos les avisó del peligro que corrían y convenció al jefe de la tribu, que los indios llamaban cacique, de que debían abandonar Pebeú.

Cuando Tiput, el jefe, vestido para tan histórica ocasión imitando la cara de una onça –con tres grandes espinas atravesándole la nariz como si fueran los bigotes del jaguar y dos pendientes de madera atravesándole los lóbulos de las orejas–, dijo a la tribu que los hombres blancos les acompañarían a otra aldea alejada para salvarles del peligro, la Chapó, que significa la mujer más anciana de la tribu, llamada Coré-coré, se abrió paso entre los hombres hasta

alcanzar el centro del corro. Llevaba un titi-kombo en el hombro, que era un mono pequeñito al que cuidaba, y mientras le acariciaba dijo pausadamente:

—No nos iremos de aquí. Se pierde en la memoria de los tiempos las lunas que podemos contar desde que vivimos en este pedazo de tierra. Aquí hemos enterrado a nuestros muertos y aquí quiero ser enterrada yo. No nos iremos de aquí.

Tiput comprendió que en las palabras de Coré-coré estaba presente la memoria de todos los antepasados del pueblo Matís y no tuvo más remedio que responder a los científicos que no marcharían de Pebeú hasta que el espíritu de la Chapó no recorriera el camino desde Uacá hasta Abú, que en su lengua significaba desde el agua hasta el cielo.

Los científicos se rebelaron ante ella y le expusieron mil razones para irse más adentro de la jungla, allí donde no pudieran encontrarles, allí donde no pudieran matarlos a todos, allí donde ni siquiera por el viento pudieran llegar enfermedades del hombre blanco que los aniquilarían.

Después de que los científicos hablaran durante horas, la Chapó se acercó a su cabaña de madera y trajo consigo un cráneo de mono araña partido a la mitad, a modo de cuenco, lleno de zumo de açeí –un aceite que se sacaba de las palmeras– y un poco de pan de maíz. Se plantó de nuevo en mitad de toda la tribu y dijo a los científicos, enseñándoles lo que llevaba en las manos:

—Esto es lo que tenemos: la selva y nuestras manos para hacer pan. Esto es todo lo que tenemos y esto es todo lo que queremos tener.

Así pues, pasaron años en aquel paraje viviendo a su modo. Recogiendo frutos y cazando aves y animales para asar al fuego. Sonreían. Eran felices.

Recibían la visita de los científicos dos veces al año, y les acogían ufanos de su poblado de madera y de su jungla. No levantaron la aldea hasta que Coré-coré no suspiró el último aliento, pero entonces fue ya demasiado tarde: el hombre blanco se acercó tanto a su territorio que sufrieron ataques y los diezmaron.

Los científicos les urgían para sacarlos de allí. Les explicaban que no podrían durar mucho tiempo, que ni siquiera ellos podían defenderlos, que no tenían armas suficientes y que los gobiernos no pararían la masacre. Pero los Matís no se movían, no entendían por qué el hombre blanco iba a llegar hasta sus tejados de ramas secas de palmera, y no sabían definir la palabra "gobiernos", así que no les hicieron caso. Ade-

más, debían cumplir su promesa con la mujer anciana.

El niño del palo de fuego supo por su amigo el puma que las otras tribus de la jungla estaban siendo asesinadas. Desaparecieron los Arara y los Paracanás; apresaron a los Zoê y a los Marubus; y a los Corubos y a los Caipós les llevaron a reservas habitadas sólo por urugus, que significaba buitre, pues eran zonas pestilentas donde el hombre blanco tiraba sus desperdicios.

El niño del palo de fuego le decía a veces a Coré-coré:

—La selva me ha dicho que el hombre blanco está matando a todos, vámonos Chapí —que era el modo de dirigirse a una mujer que no fuera anciana.

Y la Chapó respondía:

—No seas zalamero conmigo. Soy la más vieja de todos, así que no puedes llamarme Chapí. Por eso debes tener en cuenta que yo he hablado con la selva más tiempo que tú. Si vienen a por nosotros, niño, entonces tendremos que luchar. ¿No hemos aprendido acaso a guarecernos de la Uearapá? —que era el modo de expresar una maligna lluvia torrencial con vientos huracanados—. Pues también podremos con el hombre blanco. Pero si nos vamos de aquí, pequeño Totí, debes saber que no respetarán nuestras tradiciones ni nuestro modo de vivir, ni nuestra lengua, ni siquiera la memoria de nuestros muertos. ¿No merece la pena luchar por ello?

El pequeño indio del palo de fuego no estaba convencido de que la mujer tuviera razón, pero debía respetar a los mayores. Un día le contó las palabras de Coré-coré a un científico, y el hombre blanco le pidió que no se preocupara, que eso nunca ocurriría:

—Estamos aquí para ayudaros, recuerda —le dijo.

A pesar de las palabras del extranjero, su onça parda le contaba que los

hombres blancos se acercaban y que era mejor marcharse con ella lejos, muy lejos, adentrarse en la selva, allí donde el hombre blanco nunca pudiera llegar. Pero el niño del palo de fuego prefería quedarse con su tribu y hacer caso omiso a las palabras de la selva.

Y, verdaderamente, el puma tenía razón: ni los exploradores ni los obreros de las constructoras hablaban los idiomas de los indígenas: ni Caribi, como los Arara; ni Tupí, como los Paracanás; ni Gê, como los Caipó; ni Aruake, como los Zoê, ni mucho menos el Matís, como él, pues ningún hombre blanco sabía hablar Matís.

Así pues, como no se entendían, como los indios no podían comprender que los hombres blancos les pedían que se fueran a otras zonas cuando leían resoluciones oficiales en portugués, en inglés y en español, unos y otros se atacaban y unos y otros morían: pero los indios, mucho más, hasta ser aniquilados.

Desde Pebeú hasta Caranjâo tenían que recorrer sesenta kilómetros por la selva espesa. Ellos sabían el camino, pero los científicos debían acompañarse de aparatos electrónicos que les conectaran con los satélites y les dijeran en qué situación estaban y cómo ir hacia el Norte y hacia el Sur, pues los inmensos árboles no les dejaban ver el sol para orientarse.

Para cualquiera que no fuera indio y no supiera escuchar la selva ni ver sus secretos, perderse en el Valle del Javarí era más sencillo que respirar.

El niño del palo de fuego retrasaba la marcha más de lo que el hombre blanco podía esperar, pues el hombre blanco es mucho más impaciente: no quiere entender que la jungla seguirá allí mismo al día siguiente, y que su sonido amenazante seguirá siendo el mismo al día siguiente, y que también habrá caza, y que lloverá y escampará, y que los árboles seguirán creciendo lenta pero firmemente hacia el cielo. Y que todo estará lleno de vida y de peligros y de una infinita ternura que les hacía ser felices.

—El hombre blanco no entiende esas cosas —le dijo la onça parda a Totí muchos años antes.

Pero Totí tampoco hizo caso al puma, y paraba cuando creía oportuno para cambiar su llama de palo. Estaba feliz. El resto de la tribu no llevaba nada más que sus arcos, sus lanzas, sus cerbatanas y sus collares y adornos. Los indios Matís no necesitan nada para viajar: todo se lo da la jungla.

En cambio, el hombre blanco, para sentirse seguro, necesitaba estar cargado de mochilas, escopetas, ropas y aparatos electrónicos por los que hablaban con lugares lejanos y por los que escuchaban voces sin ojos, o medían el tiempo o el espacio.

Ellos iban desnudos y sin nada. Bueno, sin nada, no: el pequeño indio Totí llevaba consigo el palo de fuego.

El científico que estaba al mando de la expedición era barbudo y fuerte. En la ciudad de hombres blancos donde vivía no entendían su pasión por la defensa de los indígenas, y allí donde se encontraba ahora tampoco era completamente comprendido por los indios, así que mostraba en las arrugas de su cara y en sus cicatrices ese modo de vivir desarraigado.

Por la hora que era, el científico ya estaba preocupado por la tardanza que el niño estaba provocando en la caravana. Viendo que aquello no tenía remedio y que nadie de la tribu le urgía, se fue hacia él y le dijo delicadamente:

—Querido Totí: no hace falta que lleves el fuego en un palo. Tu tribu no lo necesita. Yo te daré mecheros y cerillas para que puedas prender fuego donde quieras y cuantas veces quieras. Yo te daré mi propio fuego.

Y el científico le enseñó su mechero de acero brillante que se encendía nada más chiscar la ruedecilla de metal contra la piedra y salía en un suspiro una llama azulada con olor dulce.

El niño del palo de fuego le miró sonriente, le tomó el encendedor y si-

guió la marcha, contento, pero sin soltar el palo. El científico insistió en que en la nueva aldea ya tenían fuego, que no necesitaban conservar el que llevaba él, pero Totí no respondió y siguió el camino.

Cayó la noche y no habían recorrido los veinte kilómetros que los hombres blancos se habían propuesto, así que estaban inquietos y malhumorados, como si pasara algo por no recorrer veinte kilómetros. El puma advirtió a Totí que no se riera de ellos, pues los hombres blancos necesitan marcarse metas que deben cumplir y rebasar, aunque sean tan absurdas como caminar veinte kilómetros antes del anochecer.

Enfadados, los hombres blancos colgaron hamacas entre los árboles para dormir, y los indios se subieron a las ramas para estar a salvo de los escorpiones, de las boas y del jacarí, que significaba cocodrilo. Antes de acostarse, el hombre blanco gritó amenazante al niño del palo de fuego:

—¡Mañana no nos retrasaremos por tu culpa! ¡¿Entendido?!

Totí mantuvo la antorcha encendida toda la noche, y no fue tarea fácil, pues a ratos le vencía el sueño. Para desvelarse se entretenía mirando las estrellas de la cúpula inmensa del cielo y a su puma le enseñaba palabras matís, en un susurro leve para no despertar a nadie:

—"Uxé" —le decía—… "Abú"… "Uispá"… "Ué"…

Pero la onça parda no sabía repetir sus palabras. Sólo miraba con sus ojos negros, grandes como la selva, allí donde

---

Uxé: Luna.
Abú: Cielo.
Uispá: Estrella.
Ué: Lluvia.

el niño señalaba. Pasaban murciélagos, se oía el ulular del viento, gritaban desde los nidos altos de las copas más altas las águilas arpías y aullaban desde el fondo de la espesura los guarás, que así llamaban los Matís a los lobos sangrientos.

Al amanecer, los monos guaribas hacían rugir la selva. Era un sonido profundo y misterioso que provocaba miedo. Era un rugir que llegaba desde el interior de la jungla, de no se sabía dónde "uuuuuuuuaaaaaaarggrgrgg", "uuuuuuuuaaaaaaarggrgrgg".

Desde el primer llanto de un Matís al salir del vientre de su madre, hasta el último suspiro, siempre oían a los guaribas, y siempre miraban al cielo con temor. Desde muchos kilómetros de distancia, esos monos tan grandes que parecían gorilas les estremecían toda su vida como si fueran el demonio. Era el verdadero sonido arrebatador de la selva.

El niño del palo de fuego y su tribu se acercaron hasta el río para lavarse por la mañana y para tomar el zumo de açeí y

las castañas que habían recolectado allí mismo. Hasta allí llevó el palo de fuego, con peligro de que pudiera ocurrir algo desgraciado y cayera al agua, después de haberle tenido encendido toda la noche. Un científico le preguntó, agarrando el palo y balanceándolo frente al río, casi rozando el agua:

—¿Y qué harás con el fuego cuando llegues a Caranjâo?

Y el niño le respondió, temeroso de que lo soltara en mitad del Amazonas o se le cayera en un descuido:

—Haré un hoyo y un círculo de piedras junto a mi choza y pondré el fuego allí con ramitas secas. Cambiaré las ramitas cada atardecer.

El científico se rió de él, pues verdaderamente era tonto guardar el fuego como hacía mil años, y le devolvió la rama prendida. Totí respiró al tenerla nuevamente en su mano.

Los macacos y los jacarís también bajaron al río a beber al amanecer, en la orilla de enfrente a los hombres. Y las garzas se posaban en los nenúfares gigantes como solteronas estiradas y agrias. Las garzas se apostaban a lo largo del río y vigilaban vestidas de blanco para que toda la selva supiera que estaban vigilando y todos se sintieran intimidados. Las gar-

zas estiraban el cuello como los guardias de los hombres blancos.

Nada más ver el primer rayo de sol, y aun un poco antes, cuando los gallos cantaban para saludar al nuevo día, la selva explotaba y se volvía ajetreada con pájaros volando de aquí a allá, con delfines jugando en mitad del río y con mosquitos buscando sangre caliente.

El agua lenta se convertía en un espejo y rebotaba el sonido atemorizador de los guaribas. Nada más salir el sol, la jungla era una explosión salvaje de vida en todo su apogeo y mezclaba el olor, el sonido, el tacto, el sabor y el color.

En realidad, el amanecer hacía de la jungla decenas de colores, cientos de ecos y silbidos que debían querer decir algo pero que eran incomprensibles, y un verde de miles de verdes y marrones y azules y blancos.

Salían a pasear mariposas azules y amarillas, grandes como la palma de una mano de hombre, y coleópteros e insectos de cualquier tamaño y color.

Al amanecer, todo empezaba a calentarse, porque en el Amazonas todo es caliente: y más la tierra roja que cubre las raíces de los árboles. Tierra que cuando se moja es arcilla.

Los Matís luchaban por su selva porque era defender esa explosión de vida que el hombre blanco no podría comprender nunca porque ante ella no queda más remedio que callar y admirarla y no pensar en nada: y mucho menos pensar en cambiarla.

Y si llovía, todo quedaba inundado de agua caliente: cortinas de agua que parecía que nunca terminarían, al rato, de súbito, paraban por orden de un Dios o de todos los dioses. Aquellos torrentes que bajaban de las nubes de repente se convertían en nada y daban paso a una luz que todo lo iluminaba como un neón blanco, nuclear, espacial.

La luz de después de la lluvia era sobrenatural. Eso era lo que defendían los Matís, pero ahora debían huir por la amenaza del hombre blanco.

Emprendieron la marcha de nuevo, como el día anterior: en fila de a uno, caminando sin prisa, cantando a veces para ahuyentar a los monos que les tiraban ramas y frutos desde los árboles. El niño del palo de fuego seguía feliz y a veces miraba cómplice al puma que saltaba de un lado a otro y vigilaba también para que ninguna fiera les hiciera daño.

El hombre blanco se percató de que otra vez el niño del palo de fuego se quedaba atrás y que podía hacerse tarde. Este día, de ninguna manera podía permitirse el lujo de no caminar los treinta kilómetros que estaban previstos, porque de lo contrario tardarían un día más en llegar hasta el destino, y esto podía ser peligroso incluso para la vida de los Matís, y, por supuesto, de los mismos científicos, que andaban escasos de agua potabilizada.

Por la mañana estaba más enfadado que el día anterior, mucho más, así que desde el principio le gritó a Totí para pedirle que dejara en paz ya el fuego, que no era necesario mantenerlo, que él mismo enseñaría al niño y a toda la tribu a hacer fuego si querían, pero que debía ir más rápido.

El niño del palo de fuego no hacía caso. El tiempo amenazaba con tormentas y el viento era casi huracanado. A pesar de que la frondosidad de la jun-

gla evitaba el aire fuerte porque se debilitaba al chocar con las ramas y con los troncos, el niño tenía dificultades para mantener viva la llama. Se paraba, buscaba detrás de un árbol un refugio donde la corriente no le azotase, y cuando comprobaba que no había peligro para su antorcha salía y seguía a la fila. Ponía su manita guardando el fuego porque era su tesoro.

El hombre blanco estaba muy enfadado. Gruñó desde lejos y se encaminó hacia el niño del palo de fuego con los hombros tensos y el entrecejo crispado. Le gritó:

—¡Por última vez te advierto que hay que ir más deprisa!

Pero en ese momento el niño del palo de fuego estaba en cuclillas cuidando de la llama, pues arreció el viento. El científico se lo repitió de nuevo, y el niño no le hizo caso.

En un movimiento rápido, absolutamente inesperado para Totí, el hombre blanco quitó el palo al niño y lo tiró violentamente tan lejos como pudo. Luego ordenó gritando:

—¡Vamos, camina veloz!

Totí salió corriendo detrás del palo, pero la antorcha había caído en un regato y el fuego se había apagado.

¡Oh!, el niño del palo de fuego cayó de rodillas y se echó las manos a la cara. Empezó a chillar lamentándose amargamente. No obstante, tomó el palo y sopló allí donde había estado la llama, donde aún estaba caliente y humeaba.

Sopló y sopló para reavivar la brasa, pero fue imposible. Se quedó llorando un buen rato y exclamaba al cielo: "uosté, uosté", que significaba "fuego, fuego".

El hombre blanco pidió a un guerrero Matís que lo cargara en brazos, pues de lo contrario nunca llegarían a Caranjâo. Cuando el guerrero llegó hasta Totí, el niño sólo mascullaba entre dientes "uaneike uosté, uaneike uosté", que significaba "adiós a mi fuego, adiós a mi fuego". Y lloraba desconsoladamente.

El guerrero lo cargó en brazos y recuperaron la marcha. El niño no paró de gemir durante horas.

Después del mediodía, cuando ya parecía que se había olvidado del palo y del disgusto, el guerrero le dijo a Totí que fuera andando en la fila, pero el niño del palo de fuego caminaba ensimismado en na-

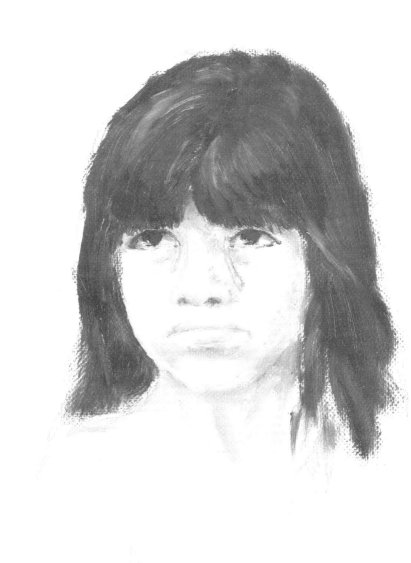

da, miraba a las cosas como si no las viera, se tropezaba, estaba sin alma, absorto, no se podía adivinar en qué pensamientos.

El hombre blanco se percató de que Totí iba cada vez más alejado de la expedición, cuidado sólo por el puma, que estaba a su lado. A pesar de ello, el científico prefirió no parar. Pensó que el niño no tenía razón para ese desconsuelo y que debía acostumbrarse a que la vida en sociedad exige determinadas reglas y si había que caminar deprisa y todos juntos, había que hacerlo, que cada cual no podía andar con sus cosas.

Sabía que era la primera vez que el niño del palo de fuego convivía con el hombre blanco, pero aun así no podía consentirle un capricho tonto: la tribu de los Matís no necesitaba el fuego de ese palo, ya tenían utensilios para conseguir fuego incluso cuando todo estuviera mojado. Ya se acabaron los tiempos en que creían que cuando se encendía una linterna es que un espíritu se despertaba. Ya estaba bien de tonterías, pensaba el científico.

Dejó que el niño anduviera desganado y apagado hasta el atardecer. Le vislumbró a veces, a lo lejos, a lomos del puma, pero llegó un momento en que ya no le vio. Entonces, temió por su vida.

El hombre blanco mandó parar la caravana y acampar. Tampoco hicieron los kilómetros que tenían previstos. Pidió un fusil y abandonó el grupo en busca del niño del palo de fuego. Mientras caminaba por entre la selva, cortando las ramas más largas con un machete, pensó que le diría que su actitud era incomprensible, que ya estaba bien, que tampoco era para tanto ese berrinche, y que le apuntaría con su arma para obligarle a caminar.

Según se abría paso lo pensó mejor y concluyó que, quizá, en vez de reñirle, le podía entregar otra rama con fuego, y así volvería a ser feliz.

Eso es lo que haría: después de lo que había hecho sufrir al pequeño, le daba igual no cumplir los horarios. Buscó un palo y lo prendió con otro mechero de acero brillante. Una vez conseguida una llama grande, fue hacia el niño esperando ver su sonrisa.

Pero cuando encontró al niño del palo de fuego seguía caminando lentamente, con la mirada en el suelo y de sus ojos brotaban gotas que el hombre blanco nunca había visto así.

El niño del palo de fuego lloraba en silencio y manaban lágrimas angustiosas por su rostro, y la pena caminaba a su lado.

Cuando el científico llegó hasta él y comprobó que su palo con fuego no le hacía ilusión, se conmovió. Ya no le reñiría, ya no iba a decirle las barbaridades que había pensado: ya no iba a hacerle más daño.

Sólo le dijo, muy suavemente:

—No llores, pequeño. Yo te enseñaré a hacer fuego. Tendrás todos los instrumentos que necesites para quemar toda la selva si quieres. Te daré tantos mecheros que podrás hacer la mayor hoguera, y allí haremos comida, y nos resguardaremos del frío, y hablaremos sentados en corro… No llores, Totí, por favor. No llores por el fuego.

Totí no le hacía caso. El científico insistió:

—Toma: he prendido esta rama para ti. Ya tienes fuego otra vez. Ya no tienes que temer quedarte sin fuego.

El niño del palo de fuego tardó un poco en reaccionar a las palabras del hombre blanco, pero, finalmente, paró en medio del camino, tragó saliva, le miró altivamente a los ojos, y le dijo:

—Ése no es mi fuego.

—Es lo mismo, Totí. Es el mismo fuego. Vale para lo mismo. Podrás alumbrarte igual y podrás calentarte en la época de las lluvias —respondió el científico.

—No, hombre blanco —dijo seco Totí—. No es el mismo fuego. La llama que yo tenía en mis manos la prendió mi abuelo y él se la pasó a mi padre y mi padre a mí. Yo ya no podré dársela a mis hijos.

Dicho esto, el niño del palo de fuego miró sin pausa al científico y después de ver su cara de asombro, allí, en mitad de la selva del Amazonas, siguió caminando lentamente.

Todo quedó en silencio

El viento paró para que la selva recogiera el eco de las palabras de Totí: "Ya no podré dársela a mis hijos".

Fue entonces cuando el hombre blanco recordó la premonición de la Chapó: "no respetarán nuestras tradiciones, ni nuestro modo de vivir, ni nuestra lengua, ni siquiera la memoria de nuestros muertos".

El científico miró al cielo y al suelo, y se dio cuenta de que había roto todo el universo mítico del niño y que ya no tenía remedio. Lo hizo con su mejor voluntad, pero rompió todo lo que el niño tenía. Y una cosa peor: ya no podía devolvérselo.

Fue entonces cuando el hombre blanco rompió a llorar.

Aquella historia sirvió para que los científicos prometieran a la tribu de los

Matís que nunca más intentarían cambiar nada de sus vidas, que no tomarían decisiones sin escucharles antes, que nunca más intentarían imponer sus razones de hombres "civilizados" y que antes de romper la libertad de la jungla y la magia de la vida, era mejor estar muertos. Y el niño del palo de fuego ofreció aquellas promesas a los espíritus de sus antepasados, al agua inmensa del río Amazonas, a la Luna y al Sol, y al cielo plagado de estrellas que todo lo ven y que todo lo sienten, pues desde el cielo todo brilla más.

Boadilla del Monte,
5 de mayo de 1999.